Contents

Introduction 2
Skills Correlation Chart 2

Unit 1: Families
A Family of Five 3
Somos cinco 5
Family Time 7
Las familias 9

Unit 2: Bugs
Crawl, Caterpillar, Crawl! 11
¡Anda, oruga, anda! 13
Where Do Bugs Live? 15
¿Dónde viven los insectos? 17

Unit 3: Seeds
I'm a Little Seed 19
Soy una semillita 21
How Many Seeds? 23
¿Cuántas semillas hay? 25

Unit 4: Sheep
Bo Peep's Sheep 27
Las ovejas de la pastorcita 29
Everyone Wears Wool 31
Todos nos vestimos de lana 33

Unit 5: Weather
Going to the Pool 35
Vamos a la piscina 37
We Like the Sun 39
¡Nos gusta el sol! 41

Unit 6: Bears
The Bear Escape 43
El oso curioso 45
Bear Facts 47
¿Conoces los osos? 49

Unit 7: Co [...]
Peas and [...]
Papas y zanahorias, 1, 2, 3 53
A Smiling Salad 55
Una ensalada risueña 57

Unit 8: Shapes
Detective Max 59
El detective Max 61
The Mask 63
La máscara 65

Unit 9: Neighborhoods
The Neighborhood Party 67
Una sorpresa en el vecindario 69
Around the Neighborhood 71
Nuestro vecindario 73

Unit 10: Music
Whistle Like a Bird 75
Silbar como un pájaro 77
It Sounds Like Music 79
¡Parece ser música! 81

Unit 11: Sea Life
A Fishy Story 83
Pesqué un pez 85
Humpback Whales 87
Las ballenas jorobadas 89

Graphic Organizers
Web 91
La red 92
Sequencing 93
Sequenciar 94

Answer Key 95

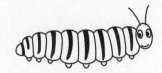

Bilingual Reading Comprehension 1, SV 9781419039072

Contents

Introduction

The *Steck-Vaughn Bilingual Reading Comprehension Series* is a welcome resource for bilingual, dual language, and transitional classrooms. Parents, teachers, and students now have access to identical stories and reading comprehension activities in English and Spanish.

Each theme features fiction and nonfiction paired readings, along with reading comprehension activities. The stories, layout, and art are identical in the English and Spanish versions, a feature that students will easily recognize.

This easy-to-use, all-in-one resource contains
- 11 themes, each with a fiction and a nonfiction story
- 22 stories, each with an English and Spanish version
- More than 22 reading comprehension activities, each with an English and Spanish version
- High-interest topics that entertain and engage English and Spanish speakers alike

The book contains a variety of more than 22 reading comprehension activities. The activities and their page numbers are listed in the chart below.

Skills Correlation Chart

Skill	Pages
Acting Out a Story	44, 46
Applying Knowledge	24, 26, 60, 62, 80, 82
Classifying	32, 34 ,52, 54, 56, 58, 76, 78, 80, 82, 84, 86, 88, 90
Drawing Conclusions	32, 34, 36, 38
Following Directions	16, 18, 56, 58
Identifying a Story's Plot	28, 30, 44, 46, 68, 70
Identifying Relationships	28, 30, 48, 50
Noting Details	8, 10, 16, 18, 24, 26, 36, 38, 40, 42, 48, 50, 52, 54, 64, 66, 72, 74, 88, 90
Sequencing	4, 6, 12, 14, 20, 22, 64, 66, 84, 86
Vocabulary	60, 62

Bilingual Reading Comprehension 1, SV 9781419039072

A Family of Five
by Gare Thompson

Let's go down the water slide.

Brother slides first.

Mom slides second.

Sister slides third.

Dad slides fourth.

Baby slides fifth.

Splash! Splash! Splash! Splash! Splash!

Bilingual Reading Comprehension 1, SV 9781419039072

Name _____ Date _____

 Answer each question about the story.
Write the answer on the line.

1. Who slides
   right after Dad? _____

2. Who slides
   right before Mom? _____

3. Who slides
   right after Sister? _____

4. Who slides
   right before Sister? _____

5. Who slides
   right after Brother? _____

6. Who slides **last**? _____

4   Sequencing
Bilingual Reading Comprehension 1, SV 9781419039072

Somos cinco

por Gare Thompson

adaptación al español por Rubí Borgia

¡Bajemos por el tobogán!

Primero se desliza hermano.

Segundo se desliza mamá.

Tercero se desliza hermana.

Cuarto se desliza papá.

Quinto se desliza bebé.

¡Chas! ¡Chas! ¡Chas! ¡Chas! ¡Chas!

Nombre _____ Fecha _____

 Contesta cada pregunta sobre el cuento.
Escribe la respuesta en la línea.

1. ¿Quién se desliza
   justo después de papá? _____

2. ¿Quién se desliza
   justo antes de mamá? _____

3. ¿Quién se desliza
   justo después de hermana? _____

4. ¿Quién se desliza
   justo antes de hermana? _____

5. ¿Quién se desliza
   justo después de hermano? _____

6. ¿Quién es el **último** en deslizarse? _____

Family Time
by Jerald Halpern

Families read.

Families teach.

Families clean.

Families cook.

Families talk.

Families play.

Families love!

Bilingual Reading Comprehension 1, SV 9781419039072

Name _____ Date _____

 In the box after each question, write the letter of the correct answer.

1. What do families play?

   [ ]

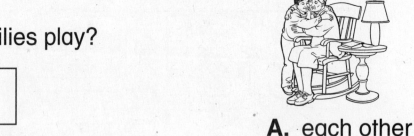
A. each other

2. What do families cook?

   [ ]

B. games

3. What do families clean?

   [ ]

C. the house

4. Who do families love?

   [ ]

D. breakfast

Noting Details

Bilingual Reading Comprehension 1, SV 9781419039072

Las familias
por Jerald Halpern
adaptación al español por Rubí Borgia

Las familias leen.

Las familias enseñan.

Las familias lavan.

Las familias cocinan.

Las familias hablan.

Las familias juegan.

¡Las familias se quieren!

Bilingual Reading Comprehension 1, SV 9781419039072

Nombre _____ Fecha _____

 En el cuadrito que sigue a cada pregunta, escribe la letra de la respuesta correcta.

1. ¿A qué juegan las familias?

☐

A. uno al otro

2. ¿Qué cocinan las familias?

☐

B. los juegos

3. ¿Qué limpian las familias?

☐

C. la casa

4. ¿A quiénes quieren las familias?

☐

D. el desayuno

Crawl, Caterpillar, Crawl!
by Kay Sands

Crawl, caterpillar, crawl.

Munch, caterpillar, munch.

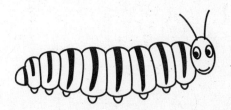

Grow, caterpillar, grow.

Spin, caterpillar, spin.

Sleep, caterpillar, sleep.

Wake, caterpillar, wake.

Fly, butterfly, fly.

Bilingual Reading Comprehension 1, SV 9781419039072

Name _____ Date _____

 The things a caterpillar does are not in the correct order. Write 1, 2, 3, 4, 5, 6, and 7 in the boxes to show the correct order.

☐ wake

☐ spin

☐ crawl

☐ fly

☐ sleep

☐ munch

☐ grow

Sequencing
Bilingual Reading Comprehension 1, SV 9781419039072

¡Anda, oruga, anda!
por Kay Sands
adaptación al español por Rubí Borgia

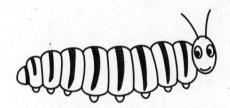

Anda, oruga, anda.

Masca, oruga, masca.

Crece, oruga, crece.

Gira, oruga, gira.

Duerme, oruga, duerme.

Despierta, oruga, despierta.

Vuela, mariposa, vuela.

Bilingual Reading Comprehension 1, SV 9781419039072

Nombre _____ Fecha _____

 Las cosas que hace una oruga no están en el orden correcto. Escribe <u>1</u>, <u>2</u>, <u>3</u>, <u>4</u>, <u>5</u>, <u>6</u> y <u>7</u> en los cuadritos para mostrar el orden correcto.

 despierta

 gira

 anda

 vuela

 duerme

 masca

crece

Sequencing
Bilingual Reading Comprehension 1, SV 9781419039072

Where Do Bugs Live?
by Jerald Halpern

Bugs live in many places.

Where do bees live?
Most bees live in a hive.

Where do ants live?
Most ants live in the ground.

Where do butterflies live?
Most butterflies live in trees.

Bilingual Reading Comprehension 1, SV 9781419039072

Name _____ Date _____

 Follow the directions to color parts of the picture.

1. Use **green** to color any part where butterflies live.
2. Use **yellow** to color any part where bees live.
3. Use **brown** to color any part where ants live.

¿Dónde viven los insectos?

por Jerald Halpern

adaptación al español por Rubí Borgia

Los insectos viven en muchos lugares.

¿Dónde viven las abejas?
Casi todas las abejas viven
en colmenas.

¿Dónde viven las hormigas?
Casi todas las hormigas
viven en la tierra.

¿Dónde viven las mariposas?
Casi todas las mariposas
viven el los árboles.

Bilingual Reading Comprehension 1, SV 9781419039072

Nombre _____ Fecha _____

 Sigue las instrucciones para colorear partes del dibujo.

1. Colorea de **verde** cualquier parte en la que vivan las mariposas.
2. Colorea de **amarillo** cualquier parte en la que vivan las abejas.
3. Colorea de **café (pardo)** cualquier parte en la que vivan las hormigas.

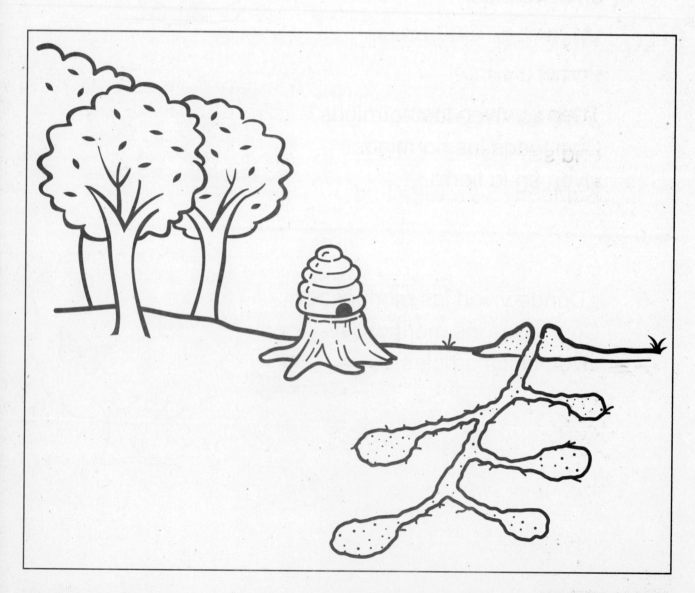

Following Directions/Noting Details

Bilingual Reading Comprehension 1, SV 9781419039072

I'm a Little Seed
by Kay Sands

I'm a little seed,

short and stout.

Up through the ground,

I grow a sprout.

Then I grow a stem,

and some green leaves.

Someday I will be a tree.

Unit 3: Seeds

Bilingual Reading Comprehension 1, SV 9781419039072

Name _____ Date _____

 The pictures show how a seed grows. But the pictures are not in the correct order! Cut out the pictures and paste them in the correct order.

first　　　　**second**　　　　**third**　　　　**fourth**

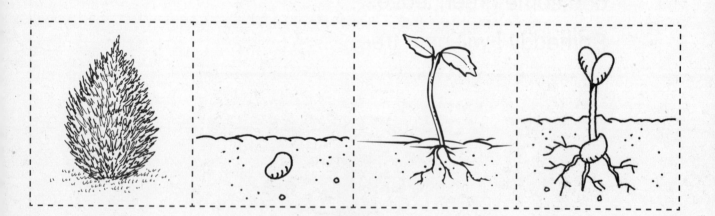

Sequencing
Bilingual Reading Comprehension 1, SV 9781419039072

Soy una semillita
por Kay Sands

adaptación al español por Rubí Borgia

Soy una semillita,

pequeña y gordita.

Subiendo por la tierra,

me crece un retoño.

Luego me crece un tallo,

y algunas hojas verdes.

Algún día seré un árbol.

Unit 3: Seeds

Bilingual Reading Comprehension 1, SV 9781419039072

Nombre _____ Fecha _____

 Los dibujos representan cómo crece una semilla. Pero, ¡los dibujos no están en el orden correcto! Recorta los dibujos y pégalos en el orden correcto.

primero   **segundo**   **tercero**   **cuarto**

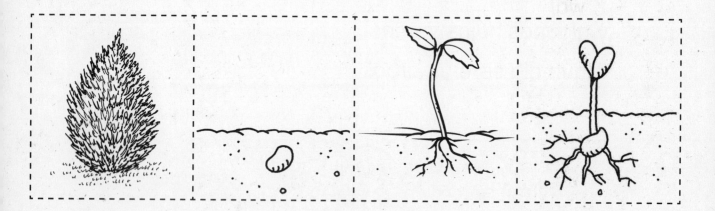

How Many Seeds?
by Monica Halpern

Most fruit has seeds inside.

How many seeds are in a peach?

A peach has one seed.

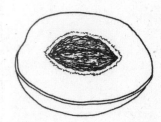

How many seeds are in an apple?

An apple has a few seeds.

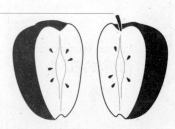

How many seeds are in a watermelon?

A watermelon has many seeds!

Unit 3: Seeds

Bilingual Reading Comprehension 1, SV 9781419039072

Name _____ Date _____

 Draw a line from each fruit to the seeds that are inside it.

1.
peach

A.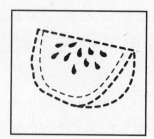

2.
apple

B.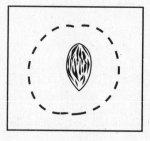

3.
watermelon

C.

 Draw a picture of your favorite fruit on another sheet of paper. How many seeds are in this fruit? Complete the sentence about your favorite fruit by writing one of the following groups of words:

one seed   a few seeds   many seeds

_____

- -

My favorite fruit has _____.

Noting Details/Applying Knowledge
Bilingual Reading Comprehension 1, SV 9781419039072

¿Cuántas semillas hay?

por Monica Halpern

adaptación al español por Rubí Borgia

Muchas frutas tienen semillas adentro.

¿Cuántas semillas hay en un durazno?
El durazno tiene una semilla.

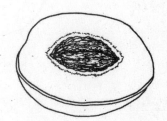

¿Cuántas semillas hay en una manzana?
La manzana tiene pocas semillas.

¿Cuántas semillas hay en una sandía?
La sandía tiene muchas semillas.

Nombre _____ Fecha _____

 Traza una línea de cada fruta a las semillas que están dentro de ella.

1.

durazno

A.

2.

manzana

B.

3.

sandía

C.

 Haz un dibujo de tu fruta favorita en otra hoja de papel. ¿Cuántas semillas están dentro de esta fruta? Completa la oración acerca de tu fruta favorita escribiendo uno de los siguientes grupos de palabras:

una semilla   pocas semillas   muchas semillas

_____

- -

Mi fruta favorita tiene _____.

Noting Details/Applying Knowledge

Bilingual Reading Comprehension 1, SV 9781419039072

Bo Peep's Sheep
by Gare Thompson

Little Bo Peep looks for her sheep.

Little Bo Peep looks left.

Little Bo Peep looks right.

Little Bo Peep looks up.

Little Bo Peep looks down.

Little Bo Peep looks all around.

The sheep find Little Bo Peep.

Bilingual Reading Comprehension 1, SV 9781419039072

Name _____ Date _____

 For each question, fill in the circle next to the correct answer.

1. What is Little Bo Peep trying to find?

Ⓐ her dogs   Ⓑ her shoes   Ⓒ her sheep

2. Where does Little Bo Peep look first?

Ⓐ right   Ⓑ left   Ⓒ down

3. Where does Little Bo Peep look last?

Ⓐ right   Ⓑ all around   Ⓒ up

4. What happens at the end of the story?

Ⓐ Little Bo Peep goes home without her sheep.
Ⓑ Little Bo Peep finds her sheep.
Ⓒ The sheep find Little Bo Peep.

 Draw a line from each word to the correct arrow.

5. down

6. left

7. right

8. up

Identifying a Story's Plot/Identifying Relationships
Bilingual Reading Comprehension 1, SV 9781419039072

Las ovejas de la pastorcita

por Gare Thompson

adaptación al español por Rubí Borgia

La pastorcita busca a sus ovejas.

La pastorcita mira hacia la izquierda.

La pastorcita mira hacia la derecha.

La pastorcita mira hacia arriba.

La pastorcita mira hacia abajo.

La pastorcita mira a su alrededor.

¡Las ovejas encuentran a la pastorcita!

Bilingual Reading Comprehension 1, SV 9781419039072

Nombre _____ Fecha _____

 Para cada pregunta, rellena el círculo junto a la respuesta correcta.

1. ¿A qué busca la pastorcita?

   Ⓐ sus perros   Ⓑ sus zapatos   Ⓒ sus ovejas

2. Primero, ¿dónde mira la pastorcita?

   Ⓐ hacia la derecha   Ⓑ hacia la izquierda   Ⓒ hacia abajo

3. Por último, ¿dónde mira la pastorcita?

   Ⓐ hacia la derecha   Ⓑ a su alrededor   Ⓒ hacia arriba

4. Al final del cuento, ¿qué pasa?

   Ⓐ La pastorcita regresa a casa sin sus ovejas.
   Ⓑ La pastorcita encuentra a sus ovejas.
   Ⓒ Las ovejas encuentran a la pastorcita.

 Traza una línea de cada grupo de palabras a la flecha correcta.

5. hacia abajo

6. hacia la izquierda

7. hacia la derecha

8. hacia arriba

Everyone Wears Wool
by Gare Thompson

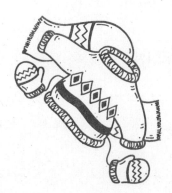

Boys wear wool.

Girls wear wool.

Dogs wear wool.

Horses wear wool.

Sheep wear wool.

Everyone wears wool!

Bilingual Reading Comprehension 1, SV 9781419039072

Name _____ Date _____

 Draw a line from each picture to the correct box. Use the information in the passage.

Wears wool	Does not wear wool

 Read and answer the question. Write <u>yes</u> or <u>no</u> on the line.

_____

- -

Do you wear wool sometimes? _____

Todos nos vestimos de lana
por Gare Thompson
adaptación al español por Rubí Borgia

Los niños se visten de lana.

Las niñas se visten de lana.

Los perros se visten de lana.

Los caballos se visten de lana.

Las ovejas se visten de lana.

¡Todos nos vestimos de lana!

Bilingual Reading Comprehension 1, SV 9781419039072

Nombre _____ Fecha _____

 Traza una línea de cada dibujo al cuadro correcto. Usa la información del pasaje.

Se viste de lana	No se viste de lana

 Lee y contesta la pregunta. Escribe <u>sí</u> o <u>no</u> en la línea.

_____

- -

¿A veces te vistes de lana? _____

Going to the Pool
by Ena Keo

Andy gets ready to go to the pool.
Andy's mom is going to the pool, too.

Meg gets ready to go to the pool.
Meg's dad is going to the pool, too.

Nick gets ready to go to the pool.
Nick's mom is going to the pool, too.

But no one gets into the pool.

Bilingual Reading Comprehension 1, SV 9781419039072

Name _____ Date _____

 For each question, fill in the circle next to the correct answer.

1. What do the children do first?

   Ⓐ get ready

   Ⓑ eat breakfast

   Ⓒ go for a walk

2. Where are the people going?

   Ⓐ to the beach

   Ⓑ to the pool

   Ⓒ to the store

3. Who gets into the pool?

   Ⓐ Meg

   Ⓑ no one

   Ⓒ the moms

4. How many people are in the story?

   Ⓐ four

   Ⓑ five

   Ⓒ six

5. Which picture shows how the children feel at the end of the story?

   Ⓐ   Ⓑ   Ⓒ

Vamos a la piscina
por Ena Keo
adaptación al español por Rubí Borgia

Andrés se prepara para ir a la piscina.
Su mamá va también.

Magali se prepara para ir a la piscina.
Su papá va también.

Nicolás se prepara para ir a la piscina.
Su mamá va también.

Pero nadie puede meterse en la piscina.

Bilingual Reading Comprehension 1, SV 9781419039072

Nombre _____ Fecha _____

 Para cada pregunta, rellena el círculo junto a la respuesta correcta.

1. ¿Qué hacen los niños primero?

   Ⓐ Se preparan.

   Ⓑ Almuerzan.

   Ⓒ Dan un paseo.

2. ¿A dónde van las personas?

   Ⓐ a la playa

   Ⓑ a la piscina

   Ⓒ a la tienda

3. ¿Quién se mete en la piscina?

   Ⓐ Magali

   Ⓑ nadie

   Ⓒ las mamás

4. ¿Cuántas personas hay en el cuento?

   Ⓐ cuatro

   Ⓑ cinco

   Ⓒ seis

5. ¿Cuál dibujo muestra cómo se sienten los niños al final del cuento?

   Ⓐ   Ⓑ   Ⓒ

Noting Details/Drawing Conclusions

Bilingual Reading Comprehension 1, SV 9781419039072

We Like the Sun
by Ena Keo

Ducks like the sun.
Ducks like the rain.

Penguins like the sun.
Penguins like the snow.

Sea gulls like the sun.
Sea gulls like the fog.

People like the sun!

Bilingual Reading Comprehension 1, SV 9781419039072

Name _____ Date _____

 Which word BEST completes the sentence? Write the word on the line.

_____

1. Ducks like the _____.

          rain   snow   fog

_____

2. Penguins like the _____.

          fog   rain   snow

_____

3. Sea gulls like the _____.

          snow   rain   fog

_____

4. Ducks and penguins both like the _____.

          fog   sun   rain

5. The passage says that people like the

_____.

          fog   rain   sun

¡Nos gusta el sol!

por Ena Keo

adaptación al español por Rubí Borgia

A los patos les gusta el sol.
A los patos les gusta la lluvia.

A los pingüinos les gusta el sol.
A los pingüinos les gusta la nieve.

A las gaviotas les gusta el sol.
A las gaviotas les gusta la neblina.

¡A las personas les gusta el sol!

Bilingual Reading Comprehension 1, SV 9781419039072

Nombre _____ Fecha _____

 ¿Cuáles palabras MEJOR completan la oración? Escribe las palabras en la línea.

_____
- -
I. A los patos les gusta _____.

la lluvia   la nieve   la neblina

_____
- -
2. A los pingüinos les gusta _____.

la neblina   la lluvia   la nieve

_____
- -
3. A las gaviotas les gusta _____.

la nieve   la lluvia   la neblina

4. A los patos y a los pingüinos les gusta
_____
- -
_____.

la neblina   el sol   la lluvia

5. Se dice en el pasaje que a las personas les gusta
_____
- -
_____.

la neblina   la lluvia   el sol

Noting Details

Bilingual Reading Comprehension 1, SV 9781419039072

The Bear Escape
by Gare Thompson

The bear runs up the tree.
The bear runs down the tree.

The bear runs through the grass.
The bear runs around the cow.

The bear runs under the bridge.
The bear runs into the water.

The bear runs out of breath.

Bilingual Reading Comprehension 1, SV 9781419039072

Name _____ Date _____

 Write <u>yes</u> or <u>no</u> to answer each question about the story.

1. Does the bear run under a  ? _____
   ----

2. Does the bear run through  ? _____
   ----

3. Does the bear run on a  ? _____
   ----

4. Does the bear run down a ? _____
   ----

5. Does the bear run into  ? _____
   ----

6. Does the bear run on a 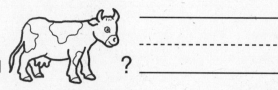 ? _____
   ----

7. Does the bear run around a ? _____

 Play like you are the bear in the story. Act out all the things that the bear does in the story.

El oso curioso
por Gare Thompson
adaptación al español por Rubí Borgia

El oso sube al árbol.
El oso baja del árbol.

El oso corre por el pasto.
El oso corre alrededor de la vaca.

El oso corre debajo del puente.
El oso corre hacia el agua.

¡El oso ya se cansó!

Bilingual Reading Comprehension 1, SV 9781419039072

Nombre _____ Fecha _____

 Escribe <u>sí</u> o <u>no</u> para contestar cada pregunta sobre el cuento.

1. ¿Corre el oso debajo de una 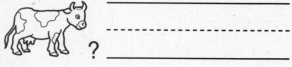 ? _____

2. ¿Corre el oso por el 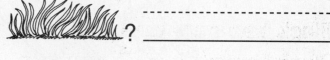 ? _____

3. ¿Corre el oso en un  ? _____

4. ¿Baja el oso de un 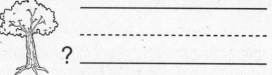 ? _____

5. ¿Corre el oso hacia la ? _____

6. ¿Corre el oso por un ? _____

7. ¿Corre el oso alrededor de una 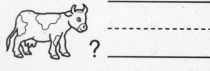 ? _____

 Imagina que eres el oso del cuento. Haz todas las cosas que hace el oso en el cuento.

Identifying a Story's Plot/Acting Out a Story

Bilingual Reading Comprehension 1, SV 9781419039072

Bear Facts
by Gare Thompson

Black bears are big bears.
Black bears are good climbers.

Polar bears are bigger than black bears.
Polar bears are good swimmers.

Brown bears are bigger than polar bears.
Brown bears are good fishers.

Mother bears are bigger than bear cubs.

Unit 6: Bears
Bilingual Reading Comprehension 1, SV 9781419039072

Name _____ Date _____

 For each question, fill in the circle next to the correct answer.

I. What do black bears do well?

Ⓐ fish   Ⓑ swim   Ⓒ climb

2. What do polar bears do well?

Ⓐ swim   Ⓑ fish   Ⓒ climb

3. Which of these is the smallest?

Ⓐ a black bear   Ⓑ a brown bear   Ⓒ a bear cub

 Which kind of bear is big? Which is bigger? Which is biggest? Draw a line from the name of each bear to the correct word.

4. polar bear   big

5. black bear   bigger

6. brown bear   biggest

¿Conoces los osos?

por Gare Thompson

adaptación al español por Rubí Borgia

Los osos negros son muy grandes.
Los osos negros son buenos trepadores.

Los osos blancos son más grandes que los osos negros.
Los osos blancos son buenos nadadores.

Los osos pardos son más grandes que los osos blancos.
Los osos pardos son buenos pescadores.

Las osas mamás son más grandes que los cachorros.

Bilingual Reading Comprehension 1, SV 9781419039072

Nombre _____ Fecha _____

 Para cada pregunta, rellena el círculo junto a la respuesta correcta.

1. ¿Qué hacen bien los osos negros?

   Ⓐ pescar   Ⓑ nadar   Ⓒ trepar

2. ¿Qué hacen bien los osos blancos?

   Ⓐ nadar   Ⓑ pescar   Ⓒ trepar

3. ¿Cuál de éstos es el más pequeño?

   Ⓐ un oso negro   Ⓑ un oso pardo   Ⓒ un cachorro

 ¿Cuál tipo de oso es grande? ¿Cuál es más grande? ¿Cuál es el más grande de los tres? Traza una línea del nombre de cada oso a la palabra correcta.

4. oso blanco   grande

5. oso negro   más grande

6. oso pardo   el más grande

Bilingual Reading Comprehension 1, SV 9781419039072

Peas and Potatoes, 1, 2, 3
by Michael K. Smith

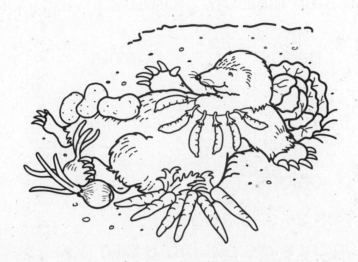

The hungry mole eats one cabbage.

The hungry mole eats two onions.

The hungry mole eats three potatoes.

The hungry mole eats four pea pods.

The hungry mole eats five beans.

The hungry mole eats six carrots.

The full mole takes a long nap!

Name _____ Date _____

 Circle the correct answer to each question about the story.

1. Does the hungry mole eat more beans or more carrots?

   beans   carrots

2. Does the hungry mole eat more onions or more potatoes?

   onions   potatoes

3. Does the hungry mole eat more pea pods or more cabbages?

   pea pods   cabbages

 Write an X on each vegetable that the hungry mole does NOT eat in the story.

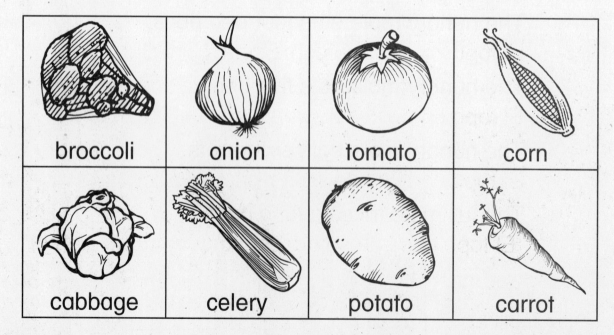

| broccoli | onion | tomato | corn |
| cabbage | celery | potato | carrot |

Noting Details/Classifying

Bilingual Reading Comprehension 1, SV 9781419039072

Papas y zanahorias, 1, 2, 3
por Michael K. Smith
adaptación al español por Rubí Borgia

El topo comilón se come un repollo.

El topo comilón se come dos cebollas.

El topo comilón se come tres papas.

El topo comilón se come cuatro vainitas.

El topo comilón se come cinco habichuelas.

El topo comilón se come seis zanahorias.

¡El topo comilón se acuesta a dormir una siesta!

Bilingual Reading Comprehension 1, SV 9781419039072

Nombre _____ Fecha _____

 Encierra en un círculo la respuesta correcta a cada pregunta sobre el cuento.

1. ¿Se come el topo comilón más habichuelas o más zanahorias?

        habichuelas   zanahorias

2. ¿Se come el topo comilón más cebollas o más papas?

        cebollas   papas

3. ¿Se come el topo comilón más vainitas o más repollos?

        vainitas   repollos

 Escribe una X en cada verdura que el topo comilón NO se come en el cuento.

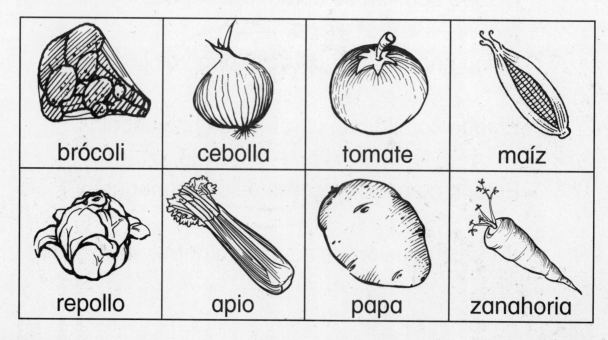

| brócoli | cebolla | tomate | maíz |
| repollo | apio | papa | zanahoria |

Bilingual Reading Comprehension 1, SV 9781419039072

A Smiling Salad
by Michael K. Smith

Get one big blue bowl.

Add lots of lettuce leaves.

Add three green celery sticks.

Add two red tomatoes.

Add one orange carrot.

Add two yellow pepper pieces.

Serve a smiling salad.

Bilingual Reading Comprehension 1, SV 9781419039072

Which of these vegetables do you use in a smiling salad? If you use the vegetable in the salad, draw a line from it to the circle in the middle. Then color all the vegetables that you use in a smiling salad. Read the story again to find out which colors to use. (Color the lettuce green.)

onion

potato

celery

Smiling Salad

carrot

pepper

lettuce

tomato

bean

Una ensalada risueña

por Michael K. Smith

adaptación al español por Rubí Borgia

Busca un envase grande y azul.

Échale mucha lechuga.

Agrégale tres pedacitos de apio verde.

Ponle dos tomates rojos.

Añádele una zanahoria anaranjada.

Luego ponle dos pedazos de pimiento amarillo.

¡Ahora sirve tu ensalada risueña!

Nombre _____ Fecha _____

 ¿Cuáles de estas verduras usas en una ensalada risueña? Si usas la verdura en la ensalada, traza una línea de ella al círculo en el centro. Luego colorea todas las verduras que usas en una ensalada risueña. Lee el cuento otra vez para saber qué colores debes usar. (Colorea de verde la lechuga.)

papa

apio

cebolla

Ensalada risueña

pimiento

zanahoria

lechuga

tomate

habichuela

Detective Max
by Sally Pollack

Max finds a circle.
It is in the air.

Max finds a square.
It is in the mailbox.

Max finds a rectangle.
It is by the door.

Surprise! Max finds a party.

Name _____ Date _____

 What shapes are the things that Max finds? On each line, write the correct word from the WORD BANK. Then draw something else that is also this shape. Draw it in the box next to the word you have written.

WORD BANK

rectangle	square	circle

1.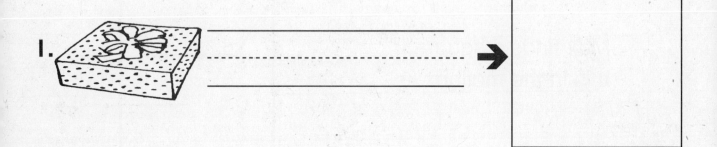

2.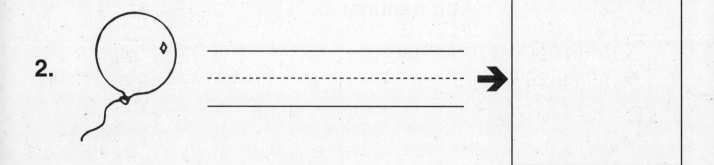

3.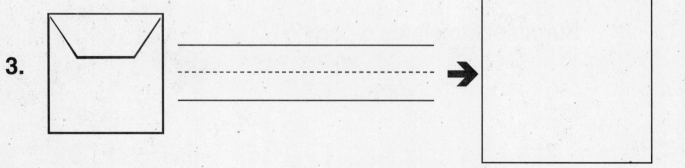

Vocabulary/Applying Knowledge

Bilingual Reading Comprehension 1, SV 9781419039072

El detective Max

por Sally Pollack

adaptación al español por Rubí Borgia

Max descubre un círculo.
Está en el aire.

Max descubre un cuadrado.
Está en el buzón.

Max descubre un rectángulo.
Está en la puerta.

¡Qué sorpresa! Max descubre una fiesta.

Bilingual Reading Comprehension 1, SV 9781419039072

Nombre _____ Fecha _____

 ¿Cuáles son las figuras de las cosas que descubre Max? En cada línea escribe la palabra correcta del BANCO DE PALABRAS. Luego haz un dibujo de algo que también tenga esta figura. Dibújalo en el cuadro junto a la palabra que hayas escrito.

BANCO DE PALABRAS

rectángulo	cuadrado	círculo

1. _____ →

2. _____ →

3. _____ →

The Mask
by Sally Pollack

Get one round paper plate.

Get some colored paper.

Add two triangles for ears.

Add two ovals for eyes.

Add one round ball of cotton for a nose.

Add one square and two triangles for a mouth.

Add six thin rectangles beside the nose.

Meow!

Unit 8: Shapes

Bilingual Reading Comprehension 1, SV 9781419039072

Name _____ Date _____

 Answer each question about making the mask.
Write the answer on the line.

1. How many ☐ do you use?   _____
                                             - - - - - - - - - - - - - -
                                             _____

2. How many ▭ do you use?   _____
                                             - - - - - - - - - - - - - -
                                             _____

3. How many ⬭ do you use?   _____
                                             - - - - - - - - - - - - - -
                                             _____

4. How many △ do you use?   _____
                                             - - - - - - - - - - - - - -
                                             _____

 Answer each question about making the mask. Fill
in the circle next to the correct answer.

5. Which part of the mask do you make RIGHT BEFORE you
   make the eyes?

   Ⓐ mouth   Ⓑ ears   Ⓒ nose

6. Which part of the mask do you make RIGHT BEFORE you
   make the mouth?

   Ⓐ ears   Ⓑ eyes   Ⓒ nose

La máscara
por Sally Pollack
adaptación al español por Rubí Borgia

Busca un plato redondo de cartón.

Busca también papel de colores.

Ponle dos triángulos para hacer las orejas.

Ponle dos óvalos para hacer los ojos.

Ponle una bolita de algodón para hacer la nariz.

Ponle un cuadrado y dos triángulos para hacer la boca.

Ponle seis rectángulos largos al lado de la nariz.

¡Miau!

Contesta cada pregunta sobre cómo hacer la máscara. Escribe la respuesta en la línea.

1. ¿Cuántos ⬜ usas?

2. ¿Cuántos ▭ usas?

3. ¿Cuántos ⬭ usas?

4. ¿Cuántos △ usas?

_____

_____

_____

_____

 Contesta cada pregunta sobre cómo hacer la máscara. Rellena el círculo junto a la respuesta correcta.

5. ¿Qué parte de la máscara haces JUSTO ANTES de hacer los ojos?

   Ⓐ boca　　　Ⓑ orejas　　　Ⓒ nariz

6. ¿Qué parte de la máscara haces JUSTO ANTES de hacer la boca?

   Ⓐ orejas　　　Ⓑ ojos　　　Ⓒ nariz

Noting Details/Sequencing
Bilingual Reading Comprehension 1, SV 9781419039072

The Neighborhood Party
by Katherine Mead

We had a surprise party.
Dan brought the hats.

We had a surprise party.
Maria brought the cake.

We had a surprise party.
Lee brought the candles.

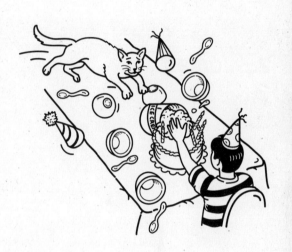

We had a surprise party.
Kate brought the ice cream.

We had a surprise party.
James brought the bowls.

We had a surprise party.
Rick just brought his pet.

We had a surprise!

Bilingual Reading Comprehension 1, SV 9781419039072

Name _____ Date _____

 Who brought what to the party? Draw a line from the person's name to the correct picture.

1. Dan   A.

2. James   B.

3. Rick   C.

4. Maria   D.

5. Lee   E.

6. Kate   F.

Identifying a Story's Plot
Bilingual Reading Comprehension 1, SV 9781419039072

Una sorpresa en el vecindario

por Katherine Mead

adaptación al español por Rubí Borgia

Tuvimos una fiesta de sorpresa.
Daniel trajo los sombreritos.

Tuvimos una fiesta de sorpresa.
María trajo el pastel.

Tuvimos una fiesta de sorpresa.
Luis trajo las velas.

Tuvimos una fiesta de sorpresa.
Kati trajo el helado.

Tuvimos una fiesta de sorpresa.
Jaime trajo los tazones.

Tuvimos una fiesta de sorpresa.
Rico sólo trajo a su mascota.

¡Y qué sorpresa tuvimos!

Nombre _____ Fecha _____

 ¿Qué trajo cada persona a la fiesta? Traza una línea del nombre de la persona al dibujo correcto.

1. Daniel

A.

2. Jaime

B.

3. Rico

C.

4. María

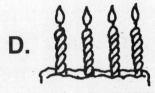
D.

5. Luis

E.

6. Kati

F.

Around the Neighborhood
by Katherine Mead

Our neighborhood is a busy place.
There is a lot to do.

We go to a park.
We can run and play here.

We go to the supermarket.
We can buy food here.

We go to the bakery.
I can get a snack here.

We go to the post office.
I can mail a letter here.

We go to the library.
I can find many books here.

My neighborhood is a busy place.
How is your neighborhood like mine?

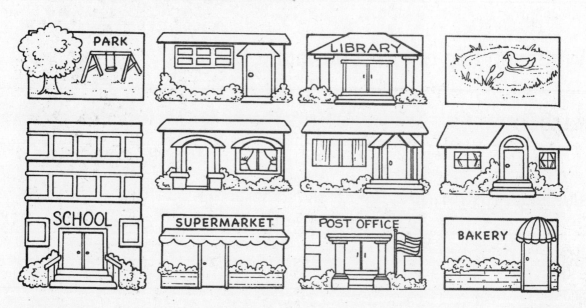

Name _____ Date _____

 Answer each question about the passage. Write the answer on the line.

1. Where can I mail a letter?

_____

- -

_____

2. What can I do at the bakery?

_____

- -

_____

3. Where can I find many books?

_____

- -

_____

4. What can I do at the supermarket?

_____

- -

_____

5. Where can I run?

_____

- -

_____

Nuestro vecindario
por Katherine Mead
adaptación al español por Rubí Borgia

Nuestro vecindario es un lugar muy activo.
Aquí hay mucho que hacer.

Vamos al parque.
Aquí podemos correr y jugar.

Vamos al supermercado.
Aquí podemos comprar la comida.

Vamos a la panadería.
Aquí puedo merendar.

Vamos al correo.
Aquí puedo enviar una carta.

Vamos a la biblioteca.
Aquí puedo encontrar muchos libros.

Mi vecindario es un lugar muy activo.
¿Es tu vecindario como el mío?

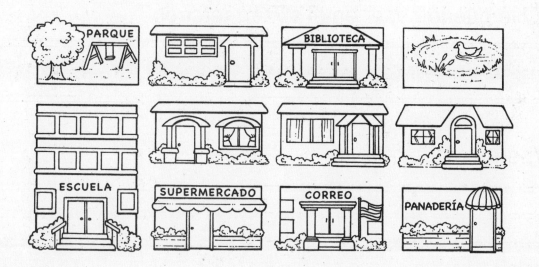

Bilingual Reading Comprehension 1, SV 9781419039072

Nombre _____ Fecha _____

 Contesta cada pregunta sobre el pasaje. Escribe la respuesta en la línea.

1. ¿Dónde puedo enviar una carta?

_____

- -

_____

2. ¿Qué puedo hacer en la panadería?

_____

- -

_____

3. ¿Dónde puedo encontrar muchos libros?

_____

- -

_____

4. ¿Qué puedo hacer en el supermercado?

_____

- -

_____

5. ¿Dónde puedo correr?

_____

- -

_____

Noting Details

Bilingual Reading Comprehension 1, SV 9781419039072

Whistle Like a Bird
by Sarah Vazquez

I want to whistle like a bird.
Grandma shows me how to whistle like a bird.

I want to howl like a dog.
Grandma shows me how to howl like a dog.

I want to sing like a star.
Grandma shows me how to sing like a star.

Together we make a concert.

Bilingual Reading Comprehension 1, SV 9781419039072

Name _____ Date _____

 Look at the pictures below. Which ones make sounds? Which ones do NOT make sounds? Cut out the pictures and paste them in the correct places.

These make sounds.

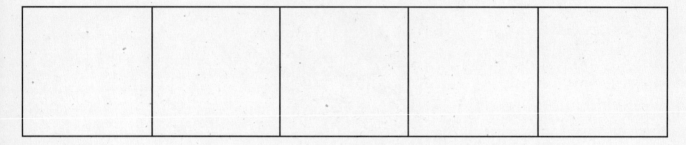

These do not make sounds.

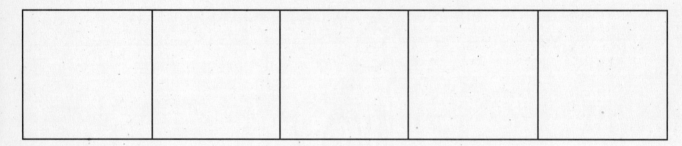

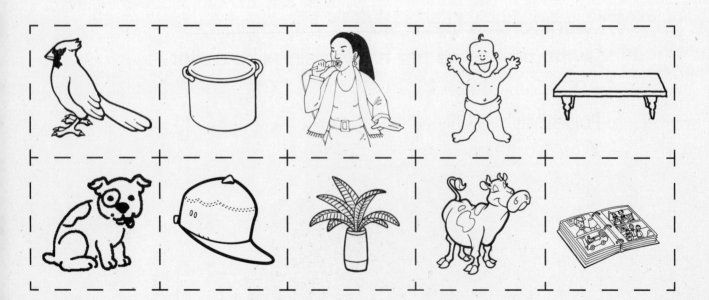

Classifying

Bilingual Reading Comprehension 1, SV 9781419039072

Silbar como un pájaro

por Sarah Vazquez

adaptación al español por Rubí Borgia

Quiero silbar como un pájaro.

Abuelita me enseña a silbar como un pájaro.

Quiero aullar como un perro.

Abuelita me enseña a aullar como un perro.

Quiero cantar como una estrella.

Abuelita me enseña a cantar como una estrella.

Y juntas damos un concierto.

Bilingual Reading Comprehension 1, SV 9781419039072

Mira los dibujos que están abajo. ¿Cuáles hacen sonidos? ¿Cuáles NO hacen sonidos? Recorta los dibujos y pégalos en los lugares correctos.

Éstos hacen sonidos.

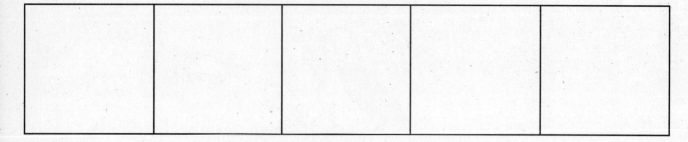

Éstos no hacen sonidos.

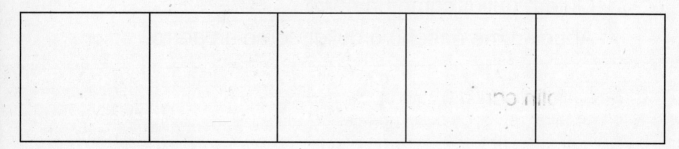

It Sounds Like Music
by Sarah Vazquez

A flute can sound like a singing bird.

A trumpet can make a blast.

A saxophone can sound like a honking goose.

A violin can be played very fast.

A piano can sound like thunder and rain.

A drum can make a boom.

Put them together, and what do you hear?
A symphony in your room!

Bilingual Reading Comprehension 1, SV 9781419039072

Which of the pictures show musical instruments? Draw a line from each musical instrument to the circle in the middle. In the box, draw a different musical instrument. Then draw a line from it to the circle.

Musical Instruments

Classifying/Applying Knowledge

Bilingual Reading Comprehension 1, SV 9781419039072

¡Parece ser música!
por Sarah Vazquez
adaptación al español por Rubí Borgia

Una flauta como un pájaro puede trinar.

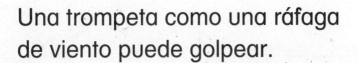

Una trompeta como una ráfaga
de viento puede golpear.

Un saxófono como un ganso
puede graznar.

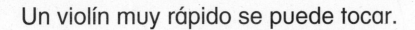

Un violín muy rápido se puede tocar.

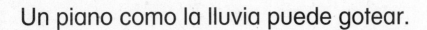

Un piano como la lluvia puede gotear.

Un tambor como un trueno
puede retumbar.

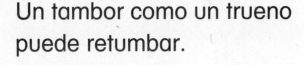

Pero si los pones todos juntos, ¡una
orquesta puedes escuchar!

Bilingual Reading Comprehension 1, SV 9781419039072

Nombre _____ Fecha _____

 ¿Cuáles de los dibujos representan instrumentos musicales? Traza una línea de cada instrumento musical al círculo en el centro. En el cuadro haz un dibujo de un instrumento musical diferente. Luego traza una línea de él al círculo.

Instrumentos musicales

A Fishy Story
by Richard Leslie

On Monday I dreamed I caught a fish.
It was as big as a bird.
On Tuesday I dreamed I caught a fish.
It was as big as a cat.
On Wednesday I dreamed I caught a fish.
It was as big as a dog.
On Thursday I dreamed I caught a fish.
It was as big as a man.
On Friday I dreamed I caught a fish.
It was as big as a horse.
On Saturday I dreamed I caught a fish.
It was as big as a whale.
On Sunday I really went fishing.
I caught a little, tiny fish.

Name _____ Date _____

 Read the days of the week on the calendar. In the circles for Monday, Tuesday, Wednesday, Thursday, Friday, and Saturday, write the number of what the girl dreamed that she had caught.

JUNE

Sunday	Monday	Tuesday	Wednesday	Thursday	Friday	Saturday
	◯	◯	◯	◯	◯	◯
◯						

1. a fish as big as a

2. a fish as big as a

3. a fish as big as a

4. a fish as big as a

5. a fish as big as a

6. a fish as big as a

 In the circle for Sunday, draw a picture of what the girl caught when she really went fishing.

Pesqué un pez

por Richard Leslie

adaptación al español por Rubí Borgia

El lunes soñé que pesqué un pez.

Era tan grande como un pájaro.

El martes soñé que pesqué un pez.

Era tan grande como un gato.

El miércoles soñé que pesqué un pez.

Era tan grande como un perro.

El jueves soñé que pesqué un pez.

Era tan grande como un hombre.

El viernes soñé que pesqué un pez.

Era tan grande como un caballo.

El sábado soñé que pesqué un pez.

Era tan grande como una ballena.

El domingo llegó y fui a pescar.

¡Pero sólo pesqué un pez pequeñito!

Unit 11: Sea Life

Bilingual Reading Comprehension 1, SV 9781419039072

Nombre _____ Fecha _____

 Lee los días de la semana en el calendario. En los círculos para lunes, martes, miércoles, jueves, viernes y sábado, escribe el número de lo que la niña soñó que había pescado.

JUNIO

Domingo	Lunes	Martes	Miércoles	Jueves	Viernes	Sábado
	◯	◯	◯	◯	◯	◯
◯						

1. un pez tan grande como un

2. un pez tan grande como una

3. un pez tan grande como un

4. un pez tan grande como un

5. un pez tan grande como un

6. un pez tan grande como un

 En el círculo para domingo, haz un dibujo de lo que la niña pescó cuando fue a pescar de verdad.

Humpback Whales
by Susan Watson

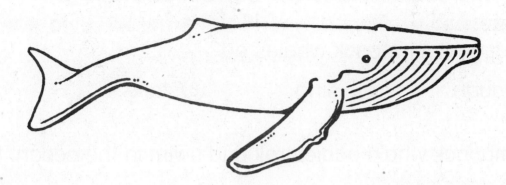

Humpback whales live in oceans all over the world.

Humpback whales are born where the water is warm.

Humpback whale babies are called calves.

Calves roll and jump in the ocean.

Humpback whales have very strong tails.

Humpback whales have very long tongues.

Humpback whales can even sing!

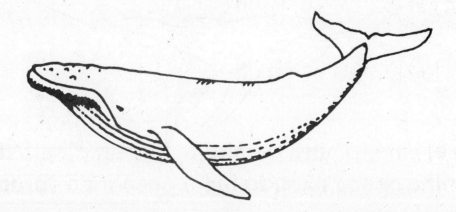

Bilingual Reading Comprehension 1, SV 9781419039072

Name _____ Date _____

 Answer the questions about the passage. Fill in the circle next to the correct answer.

1. What can humpback whales do?

   Ⓐ laugh   Ⓑ sing   Ⓒ talk

2. Humpback whale babies roll and swim in the ocean. What else do they do?

   Ⓐ cry   Ⓑ hide   Ⓒ jump

3. Where are humpback whales born?

   Ⓐ in warm water
   Ⓑ in deep water
   Ⓒ in cold water

 Write the words in the correct place.

     calf   tongue   tail

4. _____   5. _____

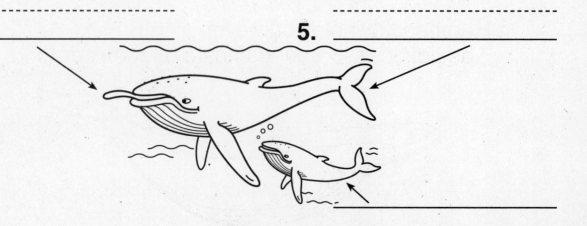

6. _____

Noting Details/Classifying

Bilingual Reading Comprehension 1, SV 9781419039072

Las ballenas jorobadas

por Susan Watson

adaptación al español por Rubí Borgia

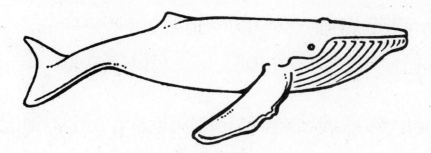

Las ballenas jorobadas viven en los mares del mundo.

Las ballenas jorobadas nacen donde el agua es cálida.

A los bebés de las ballenas jorobadas se les llama la cría.

La cría gira y salta en el mar.

Las ballenas jorobadas tienen colas muy fuertes.

Las ballenas jorobadas tienen lenguas muy largas.

¡Las ballenas jorobadas hasta pueden cantar!

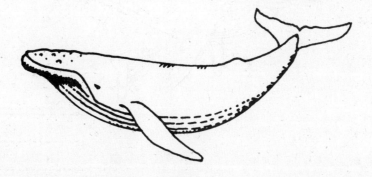

Bilingual Reading Comprehension 1, SV 9781419039072

Contesta las preguntas sobre el pasaje. Rellena el círculo junto a la respuesta correcta.

1. ¿Qué pueden hacer las ballenas jorobadas?

   (A) reír   (B) cantar   (C) hablar

2. Los bebés de las ballenas jorobadas giran y nadan en el mar. ¿Cuál es otra cosa que hacen?

   (A) llorar   (B) esconderse   (C) saltar

3. ¿Dónde nacen las ballenas jorobadas?

   (A) en agua cálida
   (B) en agua profunda
   (C) en agua fría

 Ecribe las palabras en el lugar correcto.

   cría   lengua   cola

_____   _____
- - - - - - - - - - - - - - - - -   - - - - - - - - - - - - - - - - - - -
4. _____   5. _____

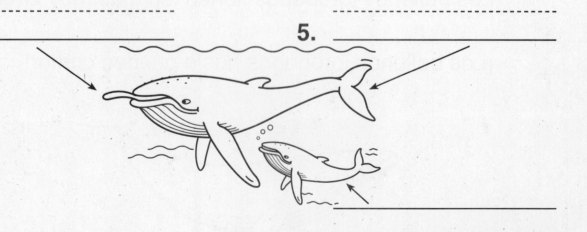

6. _____

Name _____ Date _____

 Write a word to tell about one story that you read. Draw pictures to show more about the story.

Nombre _____ Fecha _____

 Escribe una palabra para describir un cuento que leíste. Haz dibujos para ilustrar el cuento.

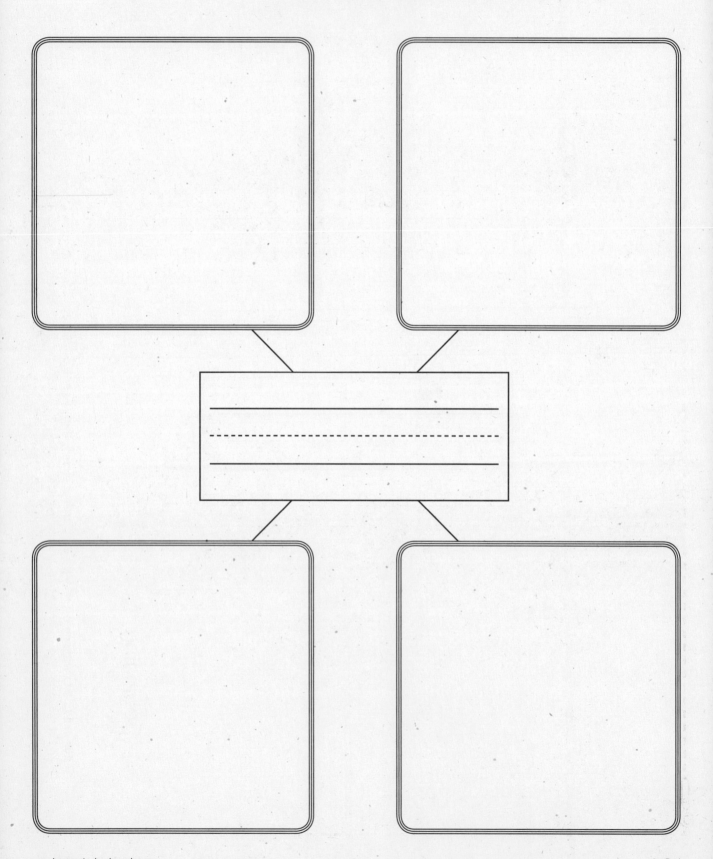

La Red

Bilingual Reading Comprehension 1, SV 9781419039072

Fold

3
End

Fold

2
Middle

Title

1
Beginning

Ask children to write on the title line the name of a story they read. Have children draw pictures showing the beginning, middle, and end of the story. Tell children to cut along the dotted lines. Then help children fold the pages to make a book.

Bilingual Reading Comprehension 1, SV 9781419039072

Doblar

Doblar

3
Final

2
Medio

1
Principio

Título

Secuenciar

Bilingual Reading Comprehension 1, SV 9781419039072

Answer Key

Page 4
1. Baby
2. Brother
3. Dad
4. Mom
5. Mom
6. Baby

Page 6
1. bebé
2. hermano
3. papá
4. mamá
5. mamá
6. bebé

Page 8
1. B
2. D
3. C
4. A

Page 10
1. B
2. D
3. C
4. A

Page 12
wake: 6
spin: 4
crawl: 1
fly: 7
sleep: 5
munch: 2
grow: 3

Page 14
despierta: 6
gira: 4
anda: 1

vuela: 7
duerme: 5
masca: 2
crece: 3

Page 16
1. Trees: green
2. Beehive: yellow
3. Underground: brown

Page 18
1. Árboles: de verde
2. Colmena: de amarillo
3. Bajo tierra: de color café

Page 20
First: seed
Second: sprout
Third: stem with leaves
Fourth: tree

Page 22
Primero: semilla
Segundo: retoño
Tercero: tallo con hojas
Cuarto: árbol

Page 24
1. Picture B
2. Picture C
3. Picture A
Drawings and answers will vary.

Page 26
1. Dibujo B
2. Dibujo C
3. Dibujo A

Los dibujos y las respuestas variarán.

Page 28
1. C
2. B
3. B
4. C
5. ↓
6. ←
7. →
8. ↑

Page 30
1. C
2. B
3. B
4. C
5. ↓
6. ←
7. →
8. ↑

Page 32
Wears wool: sheep, girl
Does not wear wool: sea horse, rabbit, bee
Answers will vary.

Page 34
Se viste de lana: oveja, niña
No se viste de lana: caballito de mar, conejo, abeja
Las respuestas variarán.

Page 36
1. A
2. B

3. B
4. C
5. C

Page 38
1. A
2. B
3. B
4. C
5. C

Page 40
1. rain
2. snow
3. fog
4. sun
5. sun

Page 42
1. la lluvia
2. la nieve
3. la neblina
4. el sol
5. el sol

Page 44
1. no
2. yes
3. no
4. yes
5. no
6. no
7. yes

Page 46

1. no
2. sí
3. no
4. sí
5. no
6. no
7. sí

Page 48

1. C
2. A
3. C
4. bigger
5. big
6. biggest

Page 50

1. C
2. A
3. C
4. más grande
5. grande
6. el más grande

Page 52

1. carrots
2. potatoes
3. pea pods

An X should be written on the broccoli, tomato, corn, and celery.

Page 54

1. zanahorias
2. papas
3. vainitas

Se debe escribir una X en el brócoli, tomate, maíz y apio.

Page 56

Lines should be drawn from the following vegetables to the circle: lettuce, celery, tomato, carrot, pepper.

Page 58

Se deben trazar líneas de las siguientes verduras al círculo: lechuga, apio, tomate, zanahoria, pimiento.

Page 60

1. rectangle
2. circle
3. square

Drawings will vary.

Page 62

1. rectángulo
2. círculo
3. cuadrado

Los dibujos variarán.

Page 64

1. one
2. six
3. two
4. four
5. B
6. C

Page 66

1. uno
2. seis
3. dos
4. cuatro
5. B
6. C

Page 68

1. E
2. F
3. C
4. B
5. D
6. A

Page 70

1. E
2. F
3. C
4. B
5. D
6. A

Page 72

1. at the post office
2. get a snack
3. at the library
4. buy food
5. in the park

Page 74

1. en el correo
2. merendar
3. en la biblioteca
4. comprar la comida
5. en el parque

Page 76

These make sounds: bird, singer, baby, dog, cow.

These do not make sounds: pot, table, cap, plant, photo album.

Page 78

Éstos hacen sonidos: pájaro, cantante, bebé, perro, vaca.

Éstos no hacen sonidos: olla, mesa, gorra, planta, álbum de fotos.

Page 80

Musical instruments: flute, drum, violin, piano, saxophone, trumpet

Drawings will vary.

Page 82

Instrumentos musicales: flauta, tambor, violín, piano, saxófono, trompeta

Los dibujos variarán.

Page 84

Monday: 3, Tuesday: 5, Wednesday: 1, Thursday: 4, Friday: 6, Saturday: 2, Sunday: a tiny fish

Page 86

Lunes: 3, Martes: 5, Miércoles: 1, Jueves: 4, Viernes: 6, Sábado: 2, Domingo: un pez pequeñito

Page 88

1. B
2. C
3. A
4. tongue
5. tail
6. calf

Page 90

1. B
2. C
3. A
4. lengua
5. cola
6. cría

Answer Key

Bilingual Reading Comprehension 1, SV 9781419039072